数字与运算

《欢乐的游乐园》 奇偶数

《小帕帮大忙》 数数

U0266013

0 1 2 3 4

5 6 7 8 9

10 + − =

数字与运算

《欢乐的游乐园》 奇偶数

《小帕帮大忙》 数数

0　1　2　3　4

5　6　7　8　9

10　×　÷　?

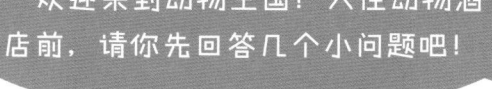

欢迎来到动物王国！入住动物酒店前，请你先回答几个小问题吧！

1. 从左向右，长颈鹿坐在第几节车厢？
2. 从左向右，第三节车厢的第二个位置坐着谁？
3. 谁在动物酒店第三层的窗口向外看？
4. 狐狸住在动物酒店的第几层？

8+8=	15+5=	4+13=	10+4=
1+7=	2+17=	9+8=	14+5=
14+2=	7+9=	7+11=	3+9=
5+13=	3+12=	3+16=	6+7=
4+6=	10+7=	5+4=	8+3=

23+18=	57+16=	49+27=	26+59=
16+52=	46+28=	19+53=	74+21=
88+9=	16+84=	42+37=	25+36=
45+28=	55+24=	26+73=	31+28=
33+26=	6+78=	11+69=	16+19=

数字与运算 《熄灯时间到！》 减法

12-3=	18-6=	20-9=	19-16=
20-6=	15-14=	13-8=	20-10=
19-11=	9-7=	16-7=	14-7=
10-7=	13-6=	11-4=	19-8=
20-14=	16-5=	18-2=	13-9=

数字与运算 《熄灯时间到！》 减法

73-11=	82-43=	69-54=	65-29=
52-23=	66-17=	39-18=	99-46=
23-19=	95-82=	84-56=	83-21=
46-38=	29-13=	79-42=	64-39=
51-7=	38-27=	35-14=	32-14=

《甜甜的糖果屋》加减法　《最佳午餐竞选》整数拆分

16+25=	54−13=	81+11=	45+45=
42−13=	87+6=	55−36=	76−63=
81−9=	32−18=	34+52=	18+28=
66+15=	42+21=	84−33=	47−25=
32+18=	35−19=	97−57=	32+44=

《甜甜的糖果屋》
加减法

《最佳午餐竞选》
整数拆分

38−5=	88−67=	100−83=	57−29=
66+23=	51+43=	94−76=	36−17=
75−42=	35+26=	43+9=	56+27=
91−37=	41−17=	59+16=	29+29=
36+54=	23−19=	32+48=	73−14=

1×1=1								
1×2=2	2×2=4							
1×3=3	2×3=6	3×3=9						
1×4=4	2×4=8	3×4=12	4×4=16					
1×5=5	2×5=10	3×5=15	4×5=20	5×5=25				
1×6=6	2×6=12	3×6=18	4×6=24	5×6=30	6×6=36			
1×7=7	2×7=14	3×7=21	4×7=28	5×7=35	6×7=42	7×7=49		
1×8=8	2×8=16	3×8=24	4×8=32	5×8=40	6×8=48	7×8=56	8×8=64	
1×9=9	2×9=18	3×9=27	4×9=36	5×9=45	6×9=54	7×9=63	8×9=72	9×9=81

1×1=								
1×2=	2×2=							
1×3=	2×3=	3×3=						
1×4=	2×4=	3×4=	4×4=					
1×5=	2×5=	3×5=	4×5=	5×5=				
1×6=	2×6=	3×6=	4×6=	5×6=	6×6=			
1×7=	2×7=	3×7=	4×7=	5×7=	6×7=	7×7=		
1×8=	2×8=	3×8=	4×8=	5×8=	6×8=	7×8=	8×8=	
1×9=	2×9=	3×9=	4×9=	5×9=	6×9=	7×9=	8×9=	9×9=

3×6=	8×1=	5×4=	4×4=
9×5=	4×3=	2×3=	6×9=
7×2=	2×9=	5×7=	7×3=
4×9=	3×5=	6×4=	9×7=
5×5=	6×7=	3×8=	8×8=

8×5=	7×8=	3×3=	6×3=
2×6=	5×3=	1×7=	9×8=
3×4=	8×2=	2×5=	4×6=
9×9=	6×6=	8×4=	2×7=
6×5=	9×4=	7×5=	6×8=

数字与运算 《每个人都有份！》除法

72÷8=	30÷5=	21÷3=	64÷8=
54÷9=	42÷7=	24÷6=	40÷5=
8÷4=	35÷5=	32÷8=	36÷6=
18÷2=	63÷9=	49÷7=	15÷3=
36÷4=	45÷5=	18÷2=	20÷5=

16÷4=	56÷7=	12÷6=	6÷3=
21÷7=	28÷4=	18÷3=	14÷7=
25÷5=	40÷8=	9÷9=	45÷9=
9÷3=	81÷9=	7÷1=	32÷4=
12÷4=	27÷3=	48÷6=	50÷10=

数字与运算 《漫长的等待》 估算

98+199 ≈	897−451 ≈	11×598 ≈	601÷32 ≈
103+249 ≈	302−198 ≈	199×201 ≈	323÷8 ≈
590+409 ≈	553−99 ≈	89×99 ≈	799÷101 ≈
348+497 ≈	749−651 ≈	78×61 ≈	252÷49 ≈
253+452 ≈	803−248 ≈	31×51 ≈	301÷51 ≈

数字 5 运算 》》 《漫长的等待》 估算

19+182+99 ≈	799−101−198 ≈	99+103−48 ≈	303−199+71 ≈
201+198+52 ≈	802−197−99 ≈	51+248−102 ≈	452+351−748 ≈
197+51+51 ≈	452−201−101 ≈	597−301+148 ≈	551−403+52 ≈
59+69+79 ≈	649−152−48 ≈	349+499−152 ≈	797−649+98 ≈
71+169+31 ≈	999−351−248 ≈	551−198+49 ≈	102+398−51 ≈

《寻狗总动员》

翻倍

每个"→"代表翻倍一次。你能在空格处填出每次翻倍后的得数吗？

1 →　　　→　　　→　　　→　　　→

2 →　　　→　　　→　　　→　　　→

3 →　　　→　　　→　　　→　　　→

4 →　　　→　　　→　　　→　　　→

5 →　　　→　　　→　　　→　　　→

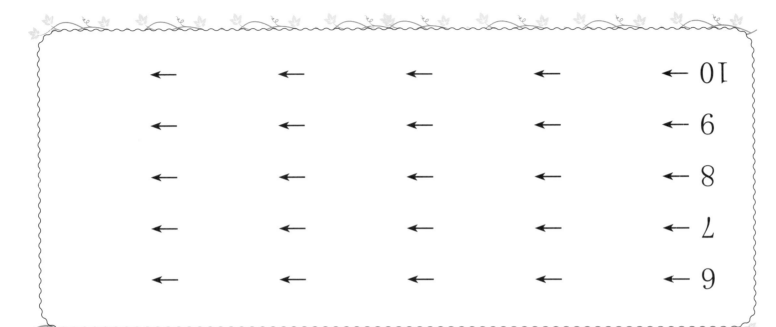

10 ←　←　←　←　←

9 ←　←　←　←　←

8 ←　←　←　←　←

7 ←　←　←　←　←

6 ←　←　←　←　←

每个"←"代表翻身一次。你能在空格处填出虫虫翻倒后它的情况吗？

翻倒

● 阅读 5 迷宫

《乌鸦喝水》

请沿虚线把圆剪开吧!

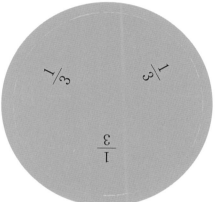

三等分

$\frac{1}{3}$ $\frac{1}{3}$ $\frac{1}{3}$

四等分

$\frac{1}{4}$ $\frac{1}{4}$ $\frac{1}{4}$ $\frac{1}{4}$

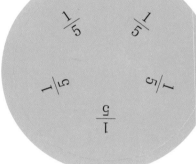

五等分

$\frac{1}{5}$ $\frac{1}{5}$ $\frac{1}{5}$ $\frac{1}{5}$ $\frac{1}{5}$

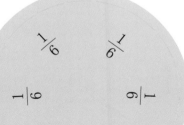

六等分

$\frac{1}{6}$ $\frac{1}{6}$ $\frac{1}{6}$ $\frac{1}{6}$ $\frac{1}{6}$ $\frac{1}{6}$

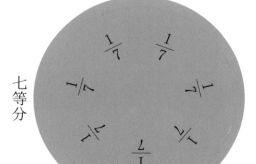

七等分

$\frac{1}{7}$ $\frac{1}{7}$ $\frac{1}{7}$ $\frac{1}{7}$ $\frac{1}{7}$ $\frac{1}{7}$ $\frac{1}{7}$

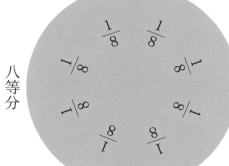

八等分

$\frac{1}{8}$ $\frac{1}{8}$ $\frac{1}{8}$ $\frac{1}{8}$ $\frac{1}{8}$ $\frac{1}{8}$ $\frac{1}{8}$ $\frac{1}{8}$

鲨鱼们都饿了。兰德要吃红色的小鱼，科林要吃黄色的小鱼，西蒙要吃蓝色的小鱼。哪条鲨鱼吃的小鱼数量最多？哪条鲨鱼吃的小鱼数量最少？

每片树叶上都有一个数。其中能被 3 整除的树叶会被黄色毛毛虫吃掉，能被 4 整除的树叶会被绿色毛毛虫吃掉。哪条毛毛虫吃掉的树叶多？

时针

分针

秒针

请用图钉将指针固定在表盘中心，然后拨出你想要的时间吧！

《游戏日》

自己动手做一份年历吧！

1月

日	一	二	三	四	五	六

2月

日	一	二	三	四	五	六

3月

日	一	二	三	四	五	六

4月

日	一	二	三	四	五	六

5月

日	一	二	三	四	五	六

6月

日	一	二	三	四	五	六

自己动手做一份年历吧!

《游戏日》

日期　量与计量

7月

日	一	二	三	四	五	六

8月

日	一	二	三	四	五	六

9月

日	一	二	三	四	五	六

10月

日	一	二	三	四	五	六

11月

日	一	二	三	四	五	六

12月

日	一	二	三	四	五	六

时间段　计量

我的时间规划表　年 月 日

时 间	任 务	完成情况
早晨		
上午		
下午		
晚上		

我想对自己说：

我的时间规划表　　年　月　日

时　间		任　务	完成情况
早晨			
上午			
下午			
晚上			

我想对自己说：

我想从苏州北去天津南，应该坐哪次列车呢？

更换目的地，再玩儿一次吧！

《上车喽！》

时刻表

量5计量

车次	始发站	经停站一	经停站二	经停站三	经停站四	终点站
G129	北京南 12：10	天津南 12：44	济南西 13：56	南京南 16：26	苏州北 17：31	上海 18：07
G401	北京南 11：43	石家庄 13：02	郑州东 14：58	武汉 17：09	长沙南 18：46	贵阳北 22：30
G112	上海虹桥 8：05	苏州北 8：28	南京南 9：29	济南西 12：11	天津南 13：24	北京南 14：08
G1222	沈阳北 7：59	天津西 12：11	济南西 13：40	南京南 16：09	杭州东 17：35	宁波 18：38
G1974	上海虹桥 7：17	南京南 8：47	郑州东 12：20	西安北 14：26	成都东 18：27	重庆西 20：16
T112	杭州 10：23	苏州 13：08	南京 15：32	郑州 22：54	西安 5：09 +1	兰州 12：52 +1

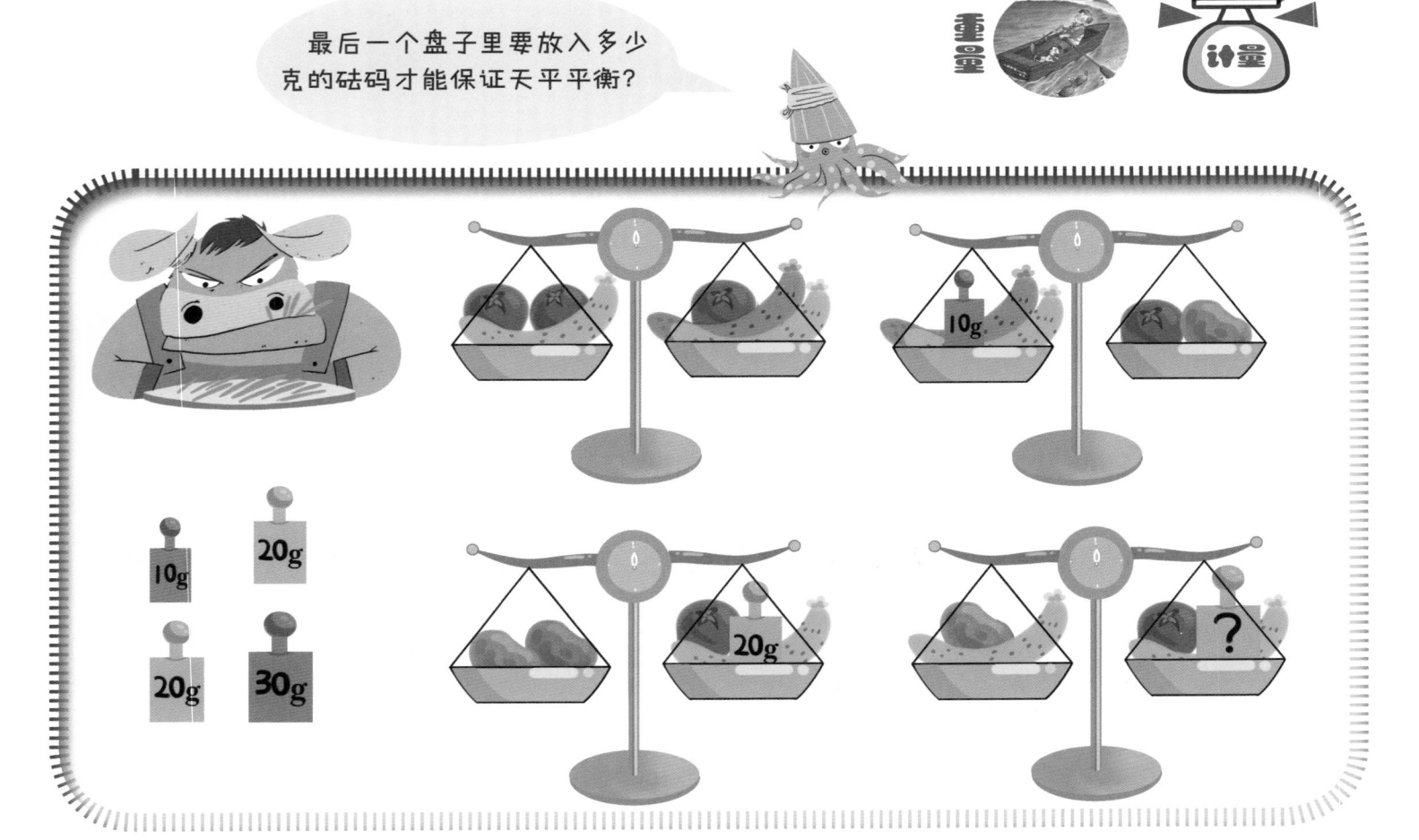

《小鸡搬家》 《保持距离》 《大雪大雪快快下!》

周长 距离 温度 计量 5

请留心天气预报, 然后将你所在地方明天的最高温度标记在温度计上吧!

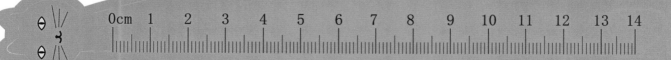

这是七巧板。你能用它拼出什么呢？试试看吧！

《摇滚数学日》

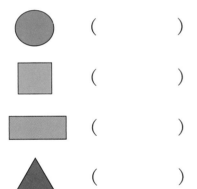

○　（　　　　　）

□　（　　　　　）

▭　（　　　　　）

△　（　　　　　）

(   )
(   )
(   )
(   )

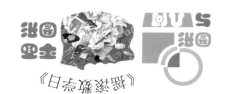

《山姆的脚印格子》

图形与几何 面积

每个小方格代表1平方厘米。请你在方格纸上画一个图形，然后算一算它的面积吧！

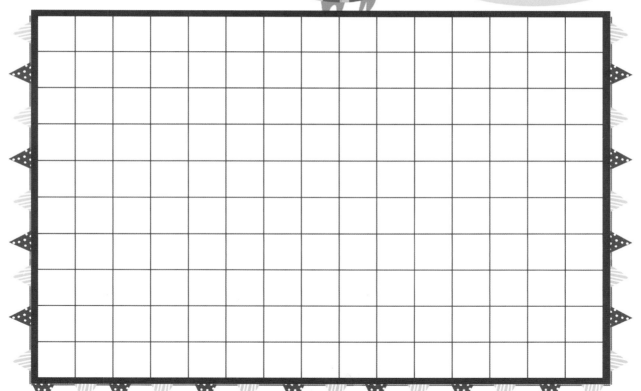

《山姆的脚印格子》

图形与几何 面积

每个小方格代表1平方厘米。
请你在方格纸上画一个图形,
然后算一算它的面积吧!

48

《山姆的脚印格子》

图形与几何 面积

每个小方格代表1平方厘米。请你在方格纸上画一个图形，然后算一算它的面积吧！

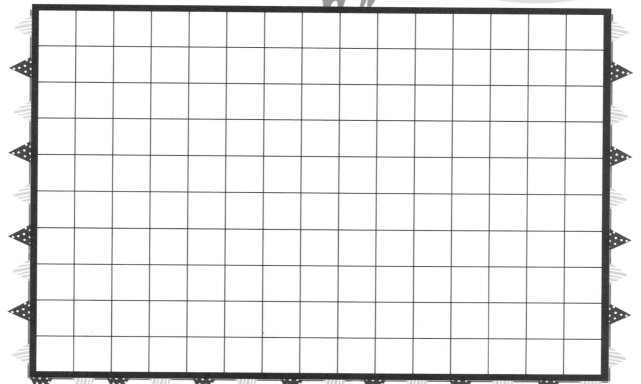

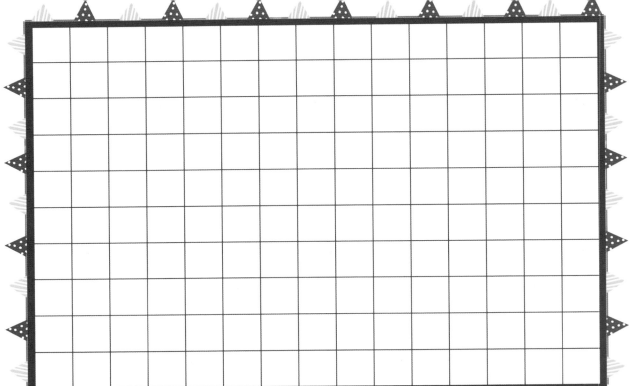

每小方格代表 1 平方厘米，
请你在方格纸上画一个图形，
并给它取一个美名的图案吧！

《山峰的脚印桥子》

《外公的神秘藏宝》

找一个沙池，在中央插一面小旗子。然后让小伙伴把一件玩具埋在沙池中，再在坐标图上标出埋藏玩具的相应位置。你能根据坐标图的指引找到玩具吗？试试看吧！

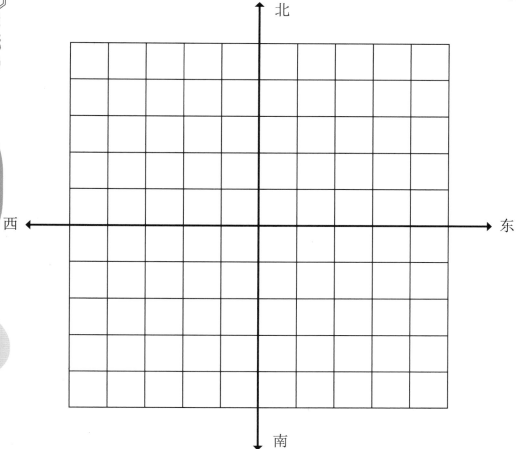

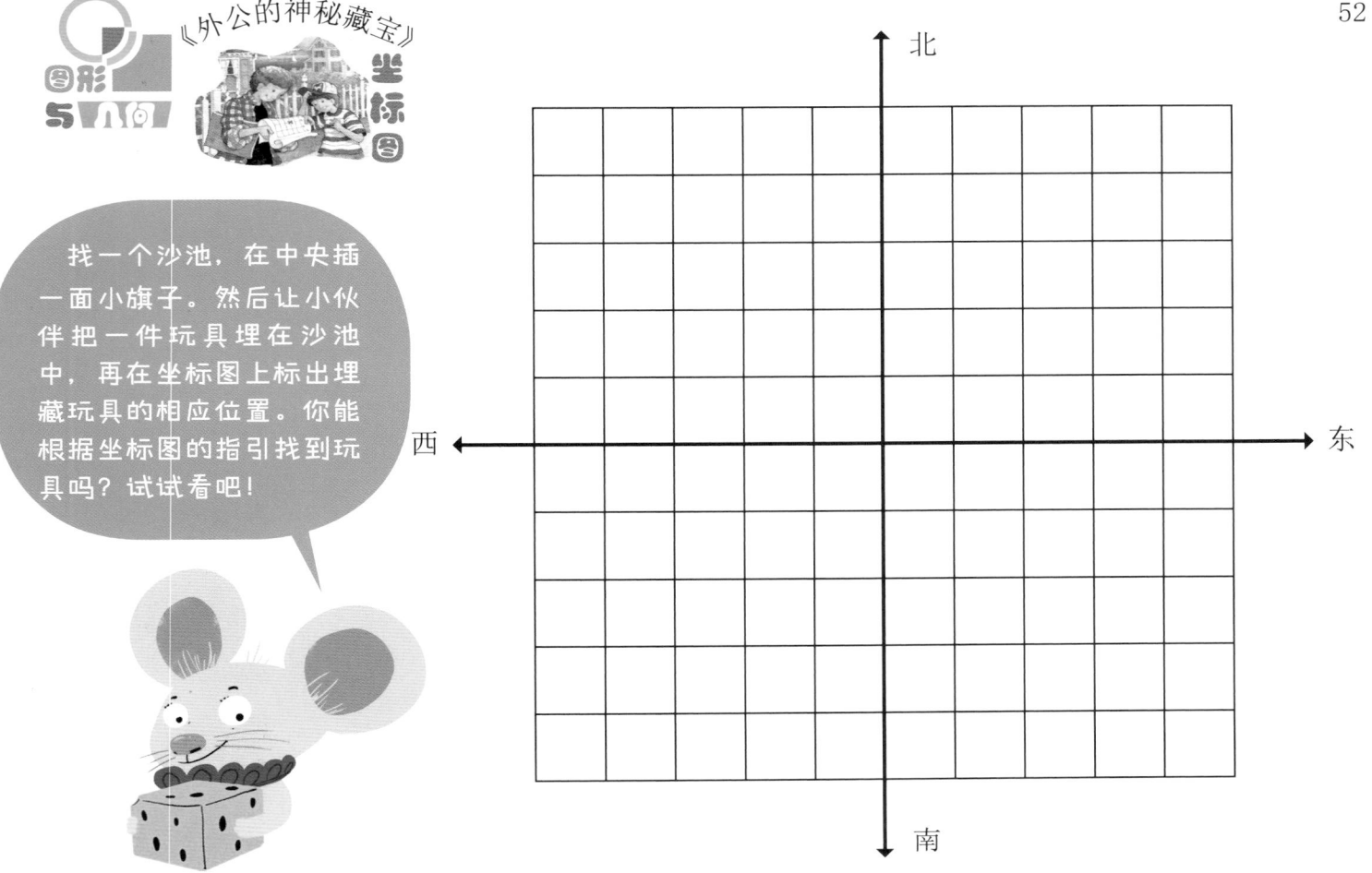

《宾果找骨头》
方位

这是一张地图，它可以指示建筑物的方位哟！

1. 公园在家的什么方位？
2. 医院的后面是什么？
3. 哪些建筑和加油站只隔了一条马路？
4. 什么地方有一片池塘？
5. 如果我想从银行去体育馆，应该怎么走？

如果上面的问题你都回答出来了，那就让爸爸妈妈出几个更难的小问题考考你吧！

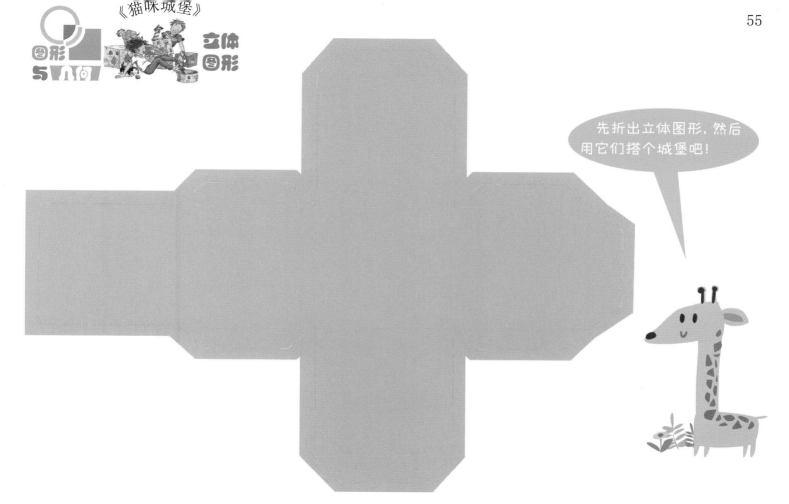

《猫咪城堡》

图形与几何 立体图形

先折出立体图形，然后用它们搭个城堡吧！

《猫咪城堡》

《猫咪城堡》

图形与风格 立体图形

《猫咪城堡》

图形与几何　立体图形

《猫咪城堡》

图形 与几何 立体 图形

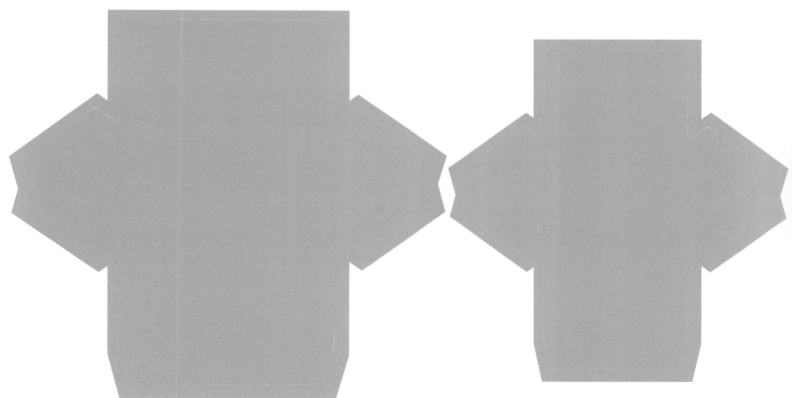

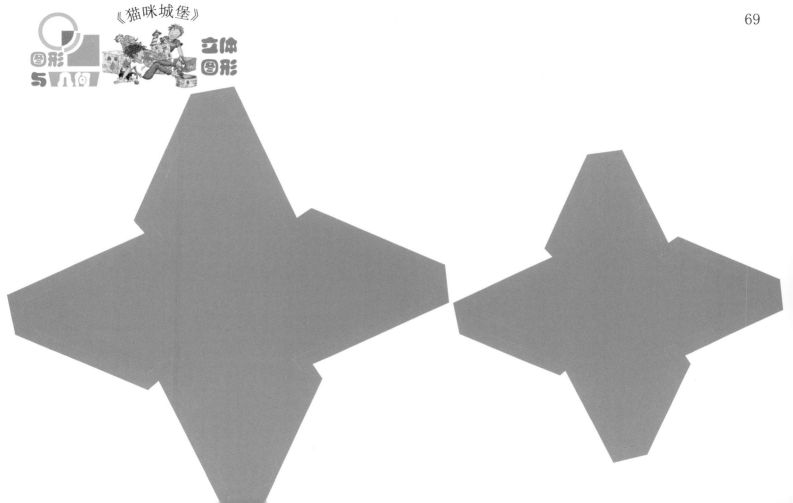

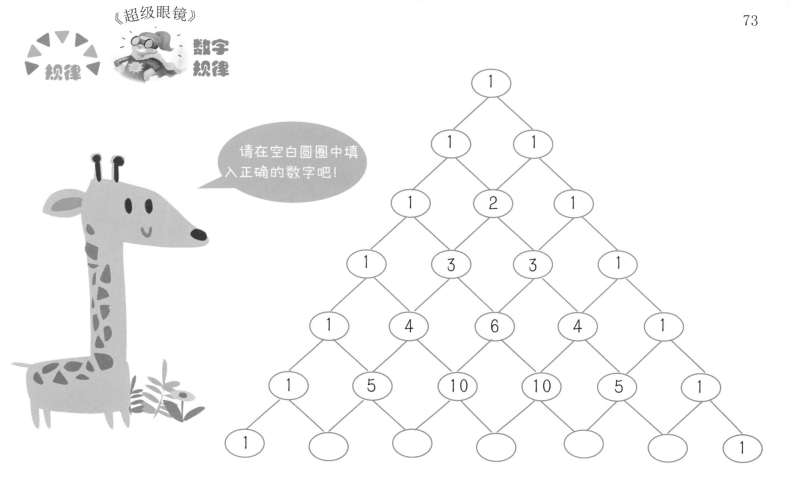

《超级眼镜》

规律 · 数字规律

请在空白圆圈中填入正确的数字吧！

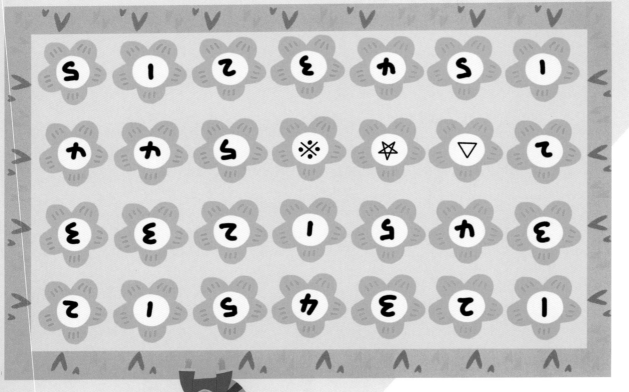

这些小图形不仅可以用来玩儿找规律的游戏，还可以用来玩儿分类游戏哟！

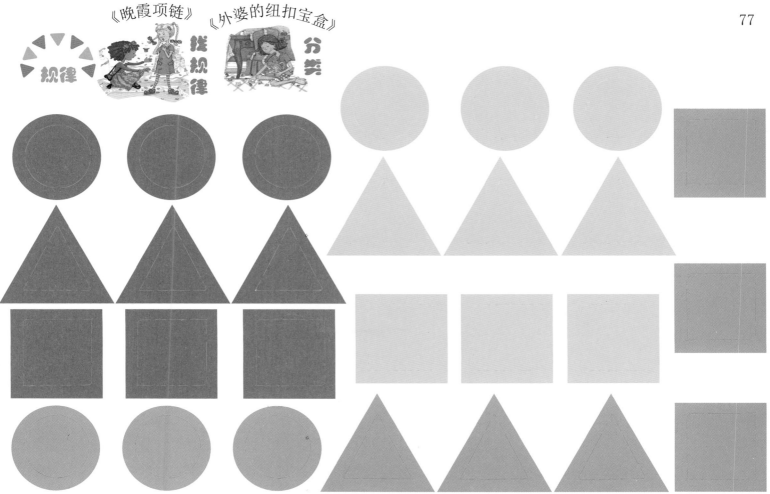

《晚霞项链》 《外婆的纽扣宝盒》

规律 找规律 分类

单位:

_____ 条形统计图

( )   ( )   ( )   ( )   ( )   ( )   ( )   类别

单位：

_____条形统计图

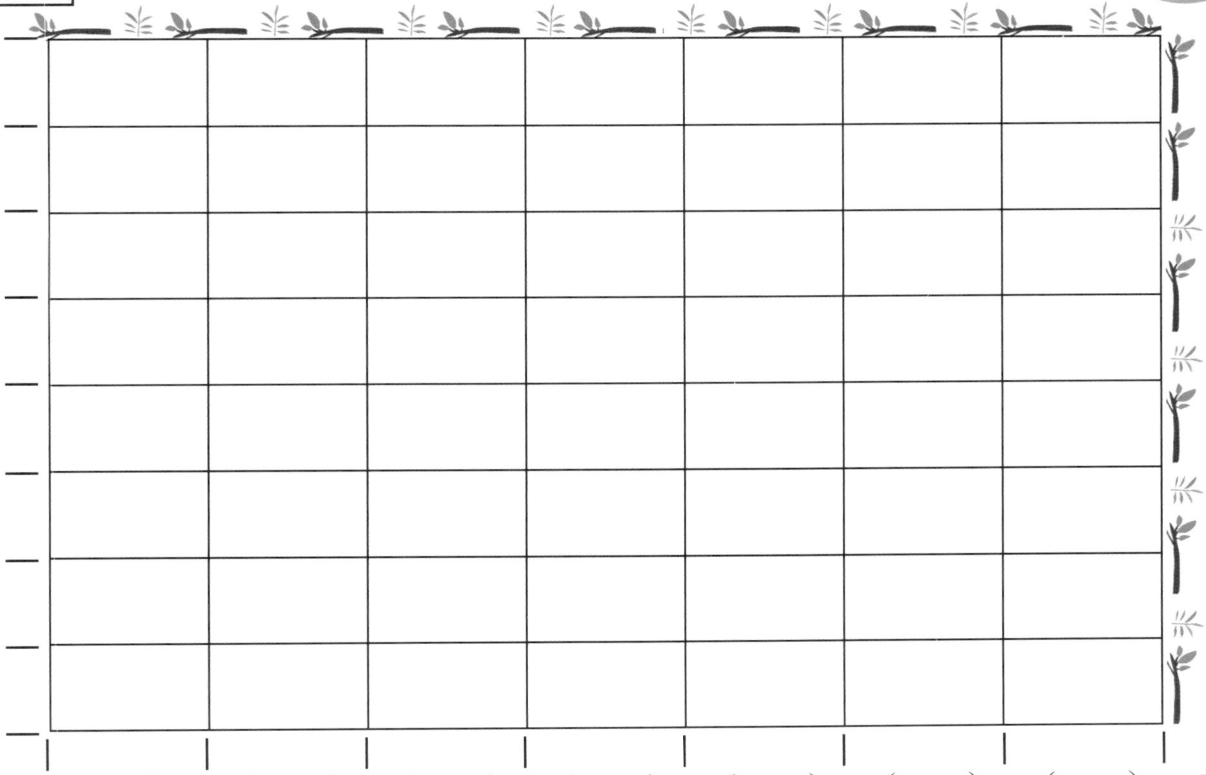

《马可的零用钱》

条形统计图

统计与概率

( )　( )　( )　( )　( )　( )　( )　类别

单位：

_____条形统计图

( ) ( ) ( ) ( ) ( ) ( ) ( ) 类别

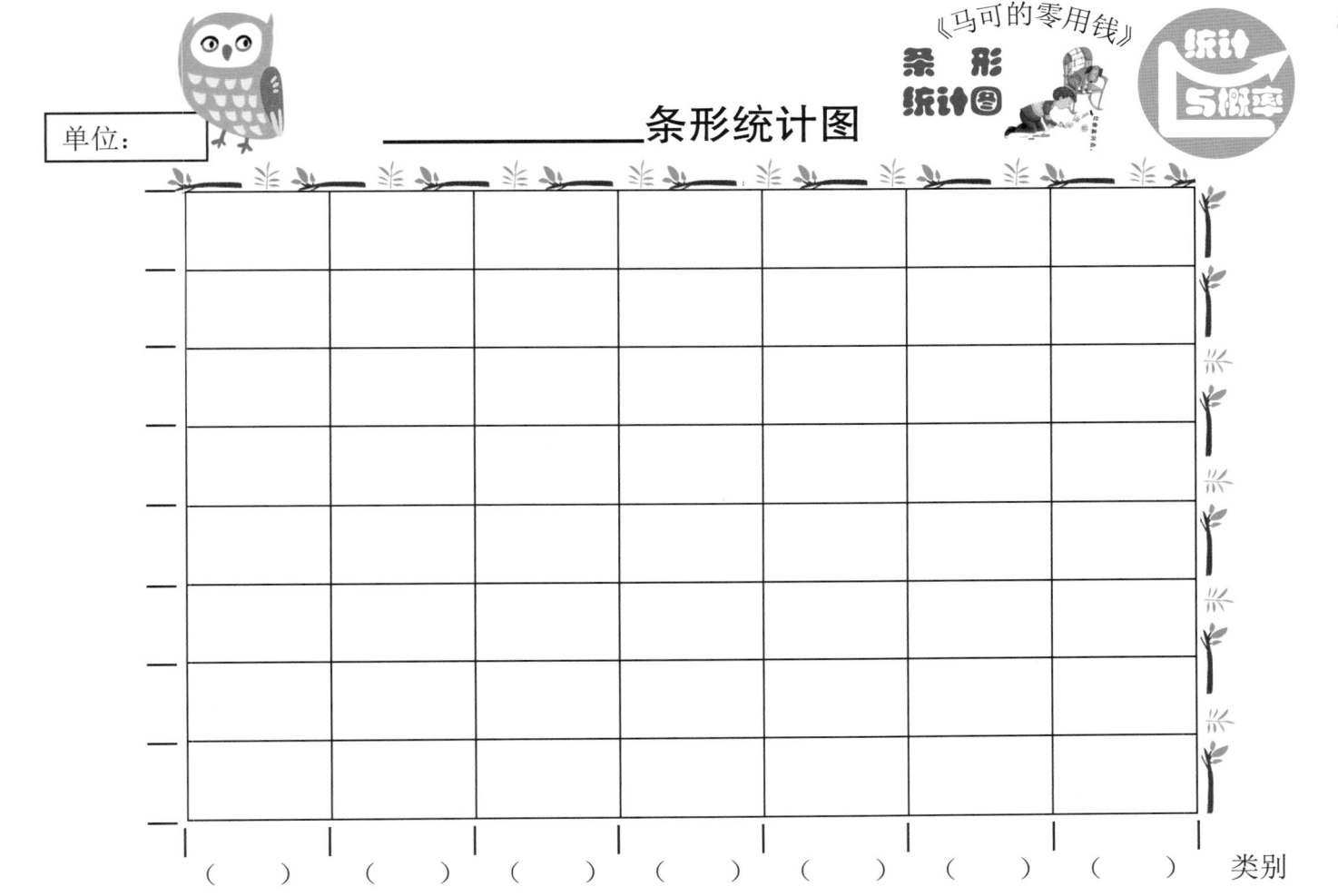

《马可的零用钱》

条形统计图

_____条形统计图

单位：

类别

（　　）　（　　）　（　　）　（　　）　（　　）　（　　）　（　　）

	数量		合计
类别			

_____象形统计图

象 形
统计图

统计
与概率

类别＼数量	＿＿＿＿＿象形统计图	合计

象形统计图

统计与概率

＿＿＿＿＿＿＿象形统计图

类别 ＼ 数量		合计

＿＿＿＿＿＿＿象形统计图

类别＼数量		合计

数据图表 统计与概率

＿＿＿＿＿＿＿＿统计表				
数量＼类别				
合计				

数据图表　统计与概率

数量＼类别					
合计					

_____统计表

_____统计表					
数量　　类别					
合计					

数量＼类别					
合计					

_____统计表

参考答案

第 7 页

8+8=16	15+5=20	4+13=17	10+4=14
1+7=8	2+17=19	9+8=17	14+5=19
14+2=16	7+9=16	7+11=18	3+9=12
5+13=18	3+12=15	3+16=19	6+7=13
4+6=10	10+7=17	5+4=9	8+3=11

第 8 页

23+18=41	57+16=73	49+27=76	26+59=85
16+52=68	46+28=74	19+53=72	74+21=95
88+9=97	16+84=100	42+37=79	25+36=61
45+28=73	55+24=79	26+73=99	31+28=59
33+26=59	6+78=84	11+69=80	16+19=35

第 9 页

12-3=9	18-6=12	20-9=11	19-16=3
20-6=14	15-14=1	13-8=5	20-10=10
19-11=8	9-7=2	16-7=9	14-7=7
10-7=3	13-6=7	11-4=7	19-8=11
20-14=6	16-5=11	18-2=16	13-9=4

第 10 页

73-11=62	82-43=39	69-54=15	65-29=36
52-23=29	66-17=49	39-18=21	99-46=53
23-19=4	95-82=13	84-56=28	83-21=62
46-38=8	29-13=16	79-42=37	64-39=25
51-7=44	38-27=11	35-14=21	32-14=18

参考答案

第 11 页

16+25=41	54-13=41	81+11=92	45+45=90
42-13=29	87+6=93	55-36=19	76-63=13
81-9=72	32-18=14	34+52=86	18+28=46
66+15=81	42+21=63	84-33=51	47-25=22
32+18=50	35-19=16	97-57=40	32+44=76

第 12 页

38-5=33	88-67=21	100-83=17	57-29=28
66+23=89	51+43=94	94-76=18	36-17=19
75-42=33	35+26=61	43+9=52	56+27=83
91-37=54	41-17=24	59+16=75	29+29=58
36+54=90	23-19=4	32+48=80	73-14=59

第 15 页

3×6=18	8×1=8	5×4=20	4×4=16
9×5=45	4×3=12	2×3=6	6×9=54
7×2=14	2×9=18	5×7=35	7×3=21
4×9=36	3×5=15	6×4=24	9×7=63
5×5=25	6×7=42	3×8=24	8×8=64

第 16 页

8×5=40	7×8=56	3×3=9	6×3=18
2×6=12	5×3=15	1×7=7	9×8=72
3×4=12	8×2=16	2×5=10	4×6=24
9×9=81	6×6=36	8×4=32	2×7=14
6×5=30	9×4=36	7×5=35	6×8=48

参考答案

第 17 页

72÷8=9	30÷5=6	21÷3=7	64÷8=8
54÷9=6	42÷7=6	24÷6=4	40÷5=8
8÷4=2	35÷5=7	32÷8=4	36÷6=6
18÷2=9	63÷9=7	49÷7=7	15÷3=5
36÷4=9	45÷5=9	18÷2=9	20÷5=4

第 18 页

16÷4=4	56÷7=8	12÷6=2	6÷3=2
21÷7=3	28÷4=7	18÷3=6	14÷7=2
25÷5=5	40÷8=5	9÷9=1	45÷9=5
9÷3=3	81÷9=9	7÷1=7	32÷4=8
12÷4=3	27÷3=9	48÷6=8	50÷10=5

第 19 页

98+199 ≈ 300	897−451 ≈ 450	11×598 ≈ 6600	601÷32 ≈ 20
103+249 ≈ 350	302−198 ≈ 100	199×201 ≈ 40000	323÷8 ≈ 40
590+409 ≈ 1000	553−99 ≈ 450	89×99 ≈ 9000	799÷101 ≈ 8
348+497 ≈ 850	749−651 ≈ 100	78×61 ≈ 4800	252÷49 ≈ 5
253+452 ≈ 700	803−248 ≈ 550	31×51 ≈ 1500	301÷51 ≈ 6

第 20 页

19+182+99 ≈ 300	799−101−198 ≈ 500	99+103−48 ≈ 150	303−199+71 ≈ 170
201+198+52 ≈ 450	802−197−99 ≈ 500	51+248−102 ≈ 200	452+351−748 ≈ 50
197+51+51 ≈ 300	452−201−101 ≈ 150	597−301+148 ≈ 450	551−403+52 ≈ 200
59+69+79 ≈ 210	649−152−48 ≈ 450	349+499−152 ≈ 700	797−649+98 ≈ 250
71+169+31 ≈ 270	999−351−248 ≈ 400	551−198+49 ≈ 400	102+398−51 ≈ 450

参考答案

第 21 页

1 → 2 → 4 → 8 → 16 → 32

2 → 4 → 8 → 16 → 32 → 64

3 → 6 → 12 → 24 → 48 → 96

4 → 8 → 16 → 32 → 64 → 128

5 → 10 → 20 → 40 → 80 → 160

第 22 页

6 → 12 → 24 → 48 → 96 → 192

7 → 14 → 28 → 56 → 112 → 224

8 → 16 → 32 → 64 → 128 → 256

9 → 18 → 36 → 72 → 144 → 288

10 → 20 → 40 → 80 → 160 → 320

参考答案

第 34 页

解析：

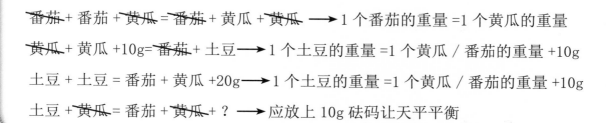

~~番茄~~ + 番茄 + ~~黄瓜~~ = ~~番茄~~ + 黄瓜 + ~~黄瓜~~ ——→ 1 个番茄的重量 =1 个黄瓜的重量

~~黄瓜~~ + 黄瓜 +10g= ~~番茄~~ + 土豆 ——→ 1 个土豆的重量 =1 个黄瓜 / 番茄的重量 +10g

土豆 + 土豆 = 番茄 + 黄瓜 +20g ——→ 1 个土豆的重量 =1 个黄瓜 / 番茄的重量 +10g

土豆 + ~~黄瓜~~ = 番茄 + ~~黄瓜~~ + ? ——→ 应放上 10g 砝码让天平平衡

第 45 页

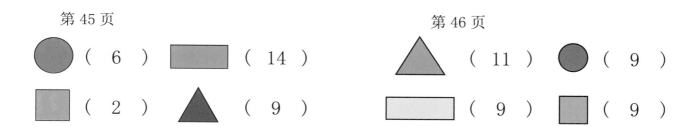

（ 6 ）　（ 14 ）

（ 2 ）　（ 9 ）

第 46 页

（ 11 ）　（ 9 ）

（ 9 ）　（ 9 ）

参考答案

第 73 页

第 74 页

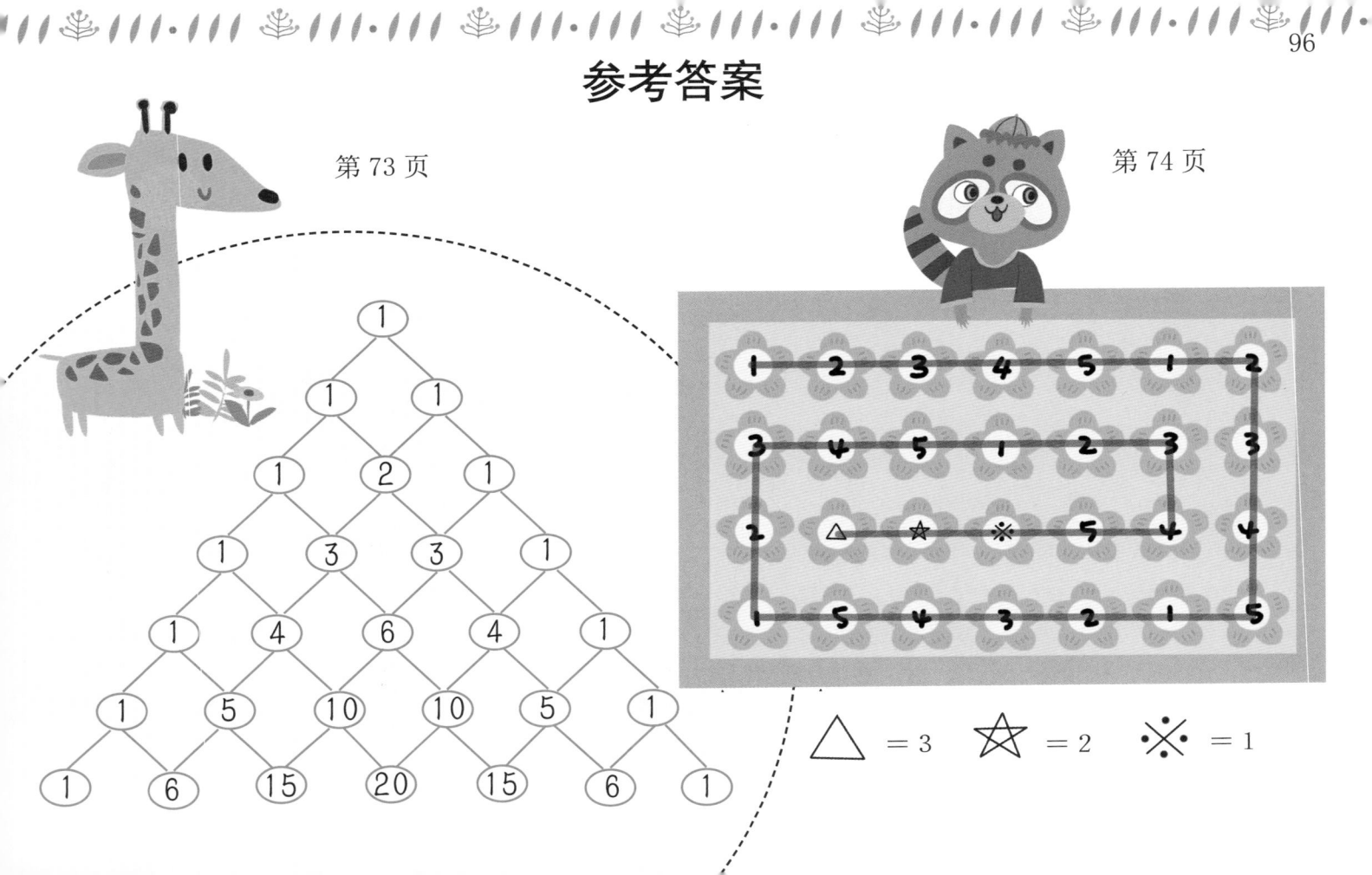

$\triangle$ = 3 $\bigstar$ = 2   ✳ = 1